ASTÉRIX
AUX
JEUX OLYMPIQUES

TEXTE DE GOSCINNY

DESSINS DE UDERZO

DARGAUD ÉDITEUR

PARIS · BARCELONE · LAUSANNE · LONDRES · MILAN · MONTRÉAL · NEW YORK · STUTTGART

DANS LE MONDE - ASTERIX EN LANGUES ETRANGERES

AFRIQUE DU SUD
Hodder Dargaud, PO Box 32213, Braamfontein Centre, Braamfontein 2017, Johannesburg, Afrique du Sud

AMERIQUE HISPANOPHONE
Grijalbo-Dargaud S.A., Deu y Mata 98-102, Barcelone 29, Espagne

AUSTRALIE
Hodder Dargaud, 2 Apollo Place, Lane Cove, New South Wales 2066, Australie

AUTRICHE
Delta Verlag, Postfach 1215, 7 Stuttgart 1, R.F.A.

BELGIQUE
Dargaud Benelux, 3 rue Kindermans, 1050 Bruxelles, Belgique

BRESIL
Cedibra, Rua Filomena Nunes 162, Rio de Janeiro, Brésil

CANADA
Dargaud Canada Limitée, 307 Benjamin Hudon, St-Laurent, Montréal PQ H4 N1J1, Canada

DANEMARK
Gutenberghus Bladene, Vognmagergade 11, 1148 Copenhague K, Danemark

EMPIRE ROMAIN
Delta Verlag, Postfach 1215, 7 Stuttgart 1, R.F.A. (Latin)

ESPAGNE
Grijalbo-Dargaud S.A., Deu y Mata 98-102, Barcelone 29, Espagne

ESPERANTO
Delta Verlag, Postfach 1215, 7 Stuttgart 1, R.F.A.

ETATS-UNIS D'AMERIQUE
Dargaud International Publishing Inc., 535 Fifth Avenue, New York 10017, N.Y., U.S.A.

FINLANDE
Sanoma Osakeyhtio, Ludviginkatu 2-10, 00130 Helsinki 13, Finlande

HOLLANDE
Dargaud Benelux, 3 rue Kindermans, 1050 Bruxelles, Belgique
Distribution : Oberon, Ceylonpoort 5/25, Haarlem, Hollande

HONG KONG
Hodder Dargaud, c/o United Publishers Book Services, Stanhope House, 7th Floor, 734 King's Road, Hong Kong

HONGRIE
Nip Forum, Vojvode Misica 1-3, 2100 Novi Sad, Yougoslavie

INDE
Gowarsons Publishers Private Ltd., Gulas House, Mayapuri, New Delhi 1100 64, Inde

INDONESIE
Penerbit Sinar Harapan, J1, Dewi Sartika 136 D, PO Box 015 JNG, Jakarta, Indonésie

ISLANDE
Fjolvi HF, Njorvasund 15a, Reykjavik, Islande

ISRAEL
Dahlia Pelled Publishers, 5 Hamekoubalim St. Herzeliah 46447, Israel

ITALIE
Dargaud Italia, Piazza Velasca 5, 20122 Milan, Italie

NORVEGE
A/S Hjemmet (Groupement Guntenberghus), Kristian den 4des Gate 13, Oslo 1, Norvège

NOUVELLE-ZELANDE
Hodder Dargaud, PO Box 3858, Auckland 1, Nouvelle-Zélande

PAYS DE GALLES
Gwasg y Dref Wen, 28 Church Road, Whitchurch, Cardiff, Pays de Galles

PORTUGAL
Meriberica, Avenida Alvares Cabral 84-1º Dto, 1296 Lisbonne Codex, Portugal

REPUBLIQUE FEDERALE ALLEMANDE
Delta Verlag, Postfach 1215, 7 Stuttgart 1, R.F.A.

ROYAUME-UNI
Hodder Dargaud, Mill Road, Dunton Green, Sevenoaks, Kent TN13 2XX, Angleterre

SUEDE
Hemmets Journal Forlag (Groupement Gutenberghus), Fack 200 22 Malmo, Suède

SUISSE
Interpress Dargaud S.A., En Budron B, 1052 Le Mont/Lausanne, Suisse

TURQUIE
Kervan Kitabcilik, Basin Sanayii ve Ticaret AS, Tercuman Tesisleri, Topkapi-Istanbul, Turquie

YOUGOSLAVIE
Nip Forum, Vojvode Misica 1-3, 2100 Novi Sad, Yougoslavie

Dépôt légal : Septembre 1984
I S B N 2-205-00320-8

Imp. en France en Septembre 1984 - Imprimerie du Marval / 94400 Vitry-sur-Seine
Printed in France

VILLAGE GAVLOIS

PETIBONVM

AQVARIVM

LAVDANVM

BABAORVM

ARMORIQVE

BELGIQVE

LVTÈCE

SPQR

GAVLE
(CONQVÊTE ROMAINE)
50 avant J.C.

CELTIQVE

AQVITAINE

PROVINCE
ROMAINE

...ous sommes en 50 avant Jésus-Christ. Toute la Gaule est ...cupée par les Romains... Toute? Non! Un village peuplé ...réductibles Gaulois résiste encore et toujours à l'envahisseur. ...la vie n'est pas facile pour les garnisons de légionnaires ...mains des camps retranchés de Babaorum, Aquarium, Laudanum et Petitbonum...

QUELQUES GAULOIS...

Astérix, le héros de ces aventures. Petit guerrier à l'esprit malin, à l'intelligence vive, toutes les missions périlleuses lui sont confiées sans hésitation. Astérix tire sa force surhumaine de la potion magique du druide Panoramix...

Obélix, est l'inséparable ami d'Astérix. Livreur de menhirs de son état, grand amateur de sangliers, Obélix est toujours prêt à tout abandonner pour suivre Astérix dans une nouvelle aventure. Pourvu qu'il y ait des sangliers et de belles bagarres.

Panoramix, le druide vénérable du village, cueille le gui et prépare des potions magiques. Sa plus grande réussite est la potion qui donne une force surhumaine au consommateur. Mais Panoramix a d'autres recettes en réserve...

Assurancetourix, c'est le barde. Les opinions sur son talent sont partagées : lui, il trouve qu'il est génial, tous les autres pensent qu'il est innommable. Mais quand il ne dit rien, c'est un gai compagnon, fort apprécié...

Abraracourcix, enfin, est le chef de la tribu. Majestueux, courageux, ombrageux, le vieux guerrier est respecté par ses hommes, craint par ses ennemis. Abraracourcix ne craint qu'une chose : c'est que le ciel lui tombe sur la tête, mais comme il le dit lui-même: « C'est pas demain la veille ! »

TOUT EST BIEN CALME DANS LE PETIT VILLAGE GAULOIS EN CETTE FIN DE PRINTEMPS. OBÉLIX, ET SON APPRENTI IDÉFIX, LIVRENT LEURS MENHIRS, ASTÉRIX PREND LE SOLEIL DEVANT SA HUTTE, ON FAIT LA SIESTE, ON PARESSE... AH OUI, PAR TOUTATIS, TOUT EST BIEN CALME DANS LE PETIT VILLAGE GAULOIS...

MAIS PAR CONTRE, UNE ÉTRANGE AGITATION SEMBLE SECOUER LE CAMP FORTIFIÉ ROMAIN D'AQUARIUM.

PAR JUPITER!

PAR MERCURE!

AVÉ CÉSAR!

CÉSAR AVÉ!

CÉSAR AVÉ NOUS!

?

QUELLE EST LA RAISON DE TOUT CE BRUIT?

UN MESSAGER VIENT D'APPORTER LA NOUVELLE DE ROME! CLAUDIUS CORNEDURUS VIENT D'ÊTRE SÉLECTIONNÉ POUR REPRÉSENTER ROME AUX JEUX OLYMPIQUES!

CORNEDURUS? QUI EST-CE?

ON VOIT BIEN QUE TU ES UN BLEU, DEPRUS! CORNEDURUS EST NOTRE CHAMPION! IL APPARTIENT À NOTRE GARNISON, ET L'HONNEUR QUI LUI ÉCHOIT REJAILLIT SUR NOUS TOUS!

Ô, CORNEDURUS! COMME J'AI EU RAISON DE T'ENVOYER À ROME POUR LES ÉLIMINATOIRES! TU AS ÉTÉ SÉLECTIONNÉ AVEC LES MEILLEURS ATHLÈTES DE TOUT LE MONDE ROMAIN!

BEN C'EST NORMAL, Ô TULLIUS MORDICUS, MON CENTURION. JE SUIS LE MEILLEUR.

PENDANT QUE LES BUCCINS HABITUELS SONNENT LA SOUPE POUR LES LÉGIONNAIRES D'AQUARIUM...

TARATAR !!!

UNE SONNERIE SPÉCIALE EST PRÉVUE POUR LE LÉGIONNAIRE CLAUDIUS CORNEDURUS.

VOICI LA SOUPE. J'ESPÈRE QU'ELLE SERA ASSEZ BONNE POUR TOI.

PAS MAL, Ô TULLIUS MORDICUS, MON CENTURION ; L'ORDINAIRE S'EST BIEN AMÉLIORÉ, DANS LA LÉGION... C'EST QUOI, CES PETITS MACHINS NOIRS ?

CE SONT DES ŒUFS D'ESTURGEON. ILS VIENNENT DE PERSE À MES FRAIS.

SI TU RÉUSSIS À REMPORTER LA PALME AUX JEUX OLYMPIQUES, IL Y AURA DES PERMISSIONS POUR ALLER AU CIRQUE ET DE L'AVANCEMENT POUR TOUT LE MONDE.

LE PRESTIGE SPORTIF EST TELLEMENT IMPORTANT POUR UNE NATION, QUE SI TU GAGNES, JE PEUX MÊME DEVENIR PRÉFET DES GAULES...NE ME LAISSE PAS TOMBER !

NE CRAINS RIEN. JE TE SOUTIENS, MORDICUS.

3A

C'EST FACILE, JE SUIS LE MEILLEUR... MAINTENANT, JE VAIS ALLER M'ENTRAÎNER DANS LES BOIS.

CE QU'IL Y A DE MERVEILLEUX, C'EST SON MORAL. AVEC UN MORAL COMME ÇA, IL NE PEUT PAS PERDRE !

UNE PETITE POINTE DE VITESSE ! JE SUIS L'HOMME LE PLUS RAPIDE DU MONDE.

PENDANT CE TEMPS, UN PEU PLUS LOIN ...

JE ME SENS EN PLEINE FORME POUR CHASSER LE SANGLIER. PANORAMIX M'A DONNÉ À BOIRE DE LA POTION MAGIQUE QUI REND INVINCIBLE !

OUAIS ! MOI JE N'EN AI PAS EU, SOUS PRÉTEXTE QUE...

HOP ! HOP ! HOP !

??? ?

3B

7

RETOURNE DANS TA TENTE, CHAMPION; REPOSE-TOI.

JE NE SUIS PAS UN CHAMPION. JE SUIS UN MINABLE.

JE VEUX FAIRE LES CORVÉES. JE VAIS CHERCHER UN BALAI. PAS TROP LOURD.

JE VAIS ALLER LES VOIR, MOI, CES GAULOIS!

ET LE CENTURION MORDICUS FAIT UNE ENTRÉE REMARQUÉE DANS LE PETIT VILLAGE GAULOIS.

TIENS? UN ROMAIN.

JE VEUX VOIR TON CHEF!

MAIS, IL EST OCCUPÉ...

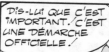

DIS-LUI QUE C'EST IMPORTANT! C'EST UNE DÉMARCHE OFFICIELLE!

BON, BON, NE NOUS ÉNERVONS PAS! LE CIEL NE TOMBE SUR LA TÊTE DE PERSONNE!

C'EST CHAQUE FOIS LA MÊME CHOSE! CHAQUE FOIS QUE JE SUIS DANS MON BAIN, ON ME DÉRANGE. L'ANNÉE DERNIÈRE ET CELLE D'AVANT, ÇA N'A PAS RATÉ!

ENFIN, PUISQU'IL S'AGIT D'UNE VISITE OFFICIELLE, OBSERVONS DIGNEMENT LE PROTOCOLE.

!!!!

JE T'ÉCOUTE, Ô ROMAIN !

EH BIEN VOICI : UN DE MES HOMMES A ÉTÉ DÉSIGNÉ POUR REPRÉSENTER MA GARNISON, AUX JEUX OLYMPIQUES...

...ET DES GAULOIS DE TA TRIBU, SANS RAISON AUCUNE SE SONT AMUSÉS À LE DÉCOURAGER !

TOUT CE QUE JE DEMANDE, C'EST QU'ON LAISSE MON CHAMPION S'ENTRAINER TRANQUILLE !

JE RÉFLÉCHIRAI, ROMAIN, ET JE TE FERAI SAVOIR MA RÉPONSE.

SALUT !

AVÉ !

7A

CECI EST IMPORTANT ! BONEMINE ! MES VÊTEMENTS ! JE CONTINUERAI MON BAIN L'ANNÉE PROCHAINE !...DESCENDEZ-MOI, VOUS AUTRES ! ET SANS RIEN RENVERSER !

PEU APRÈS...

C'EST QUOI, AU JUSTE LES JEUX OLYMPIQUES ?

LES JEUX DU STADE, LES JEUX SACRÉS, PLACÉS SOUS L'ÉGIDE DE ZEUS, SE DÉROULENT TOUS LES QUATRE ANS À OLYMPIE, EN GRÈCE, CHEZ LES HELLÈNES, AU MOIS D'HÉCATOMBÉON*...

* JUILLET-AOÛT

CES JEUX CONSTITUENT UNE TRÊVE SACRÉE, ET DURENT CINQ JOURS. GRANDE EST LA GLOIRE DU VAINQUEUR ET DE SON PEUPLE !

VOUS SAVEZ CE QU'ON DEVRAIT FAIRE ?

OUI !

DE LA SOUPE AUX CHAMPIGNONS !

?

7B

JE T'ASSURE, ILS NE TE DÉRANGERONT PLUS! ALLONS SOIS GENTIL, LÂCHE CE BALAI!

NON! LE BALAI, C'EST ENCORE TROP BON POUR MOI!

SUPPOSONS. SUPPOSONS QU'ILS SOIENT PLUS FORTS QUE TOI! MAIS C'EST PARCE QU'ILS ONT UNE POTION MAGIQUE QUI LEUR DONNE UNE FORCE SURHUMAINE! C'EST TOUT!

ET TES ADVERSAIRES AUX JEUX NE L'AURONT PAS CETTE POTION! HU! HU! HU!

TIENS? JE N'Y AVAIS PAS PENSÉ...

CENTURION! UN CHEF GAULOIS DÉSIRE TE VOIR!

PARFAIT! JE VAIS FAIRE PREUVE DE BONNE VOLONTÉ... JE VAIS OBSERVER LEURS COUTUMES, ÇA LES FLATTERA. MON CASQUE! OÙ EST MON CASQUE?

PEU APRÈS...

Ô GAULOIS! LE CENTURION T'ATTEND DEVANT SA TENTE!

VOUS AVEZ ENTENDU, LES ENFANTS, MARCHONS!

SALUT!

AVÉ!

J'AI BIEN RÉFLÉCHI À CE QUE TU M'AS DIT...

OUI. ALORS?

ALORS, NOUS AVONS DÉCIDÉ DE PARTICIPER AUX JEUX OLYMPIQUES, NOUS AUSSI!

QUOI?

OUI, NOUS ALLONS ENVOYER UN CHAMPION À OLYMPIE! ET QUE LE MEILLEUR GAGNE. ALLEZ, SALUT!

TCHIC! TCHIC! TCHIC! TCHIC!

EN ATTENDANT LE JOUR DU DÉPART, SI, CHEZ LES ROMAINS, LE MORAL EST EN BAISSE CONSTANTE...

...CHEZ LES GAULOIS, PAR CONTRE, TOUT VA BIEN. LE CHEF ABRARACOURCIX, S'OCCUPE DU VOYAGE...

J'AI LOUÉ UN BATEAU; NOUS ALLONS ÊTRE BIEN: CLASSE UNIQUE, JEUX DE PONT, SPORTS DE PLEIN AIR ET UNE MER-VEILLEUSE AMBIANCE!

LE DRUIDE PANORAMIX A PRIS EN MAIN TOUS LES PROBLÈMES TECHNI-QUES DES ATHLÈTES.

C'EST TRÈS IMPORTANT UNE DIÈTE BIEN ÉTUDIÉE. LA NOURRITURE QUE L'ON TROUVE DANS LES AUTRES PAYS PEUT NUIRE À LA PLEINE FORME DE NOS CHAMPIONS...

...IL FAUT UN RÉGIME BIEN DOSÉ.

C'EST QUOI, UN RÉGIME BIEN DOSÉ, Ô DRUIDE?

C'EST ÇA!

LE BARDE ASSURANCETOURIX A LE SOUCI DU FASTE DES CÉRÉMONIES.

J'AI COMPOSÉ UNE MARCHE OLYMPIQUE.

!

NON, TU NE CHANTERAS PAS!!!

TCHAC!

?   ?

PAF!

QU'EST-CE QU'IL A?

JE PENSE QU'IL A DÛ RATER UNE MARCHE.

ET, LA VEILLE DU DÉPART, LES ATHLÈTES FONT LEURS BAGAGES.

17

DE QUOI VOUS PLAIGNEZ-VOUS? CLASSE UNIQUE, COMME PROMIS, ET POUR CE QUI EST DES JEUX DE PONT ET DU SPORT, VOUS ALLEZ ÊTRE SERVIS.

ET POUR COMMENCER, JE VOUS CONSEILLE DE RAMER; IL FAUT PROFITER DE LA MARÉE.

ET L'AMBIANCE?

C'EST JUSTE. EN AVANT LA MUSIQUE!

CLAC!

BONG!

BONG!

BONG!

ET NE VOUS PLAIGNEZ PAS. VOUS BÉNÉFICIEZ DE LA CLASSE UNIQUE LUXE. DANS LES VOYAGES ORGANISÉS NORMAUX, LES PASSAGERS SONT ENCHAÎNÉS ET FOUETTÉS. ET LA LISTE D'ATTENTE EST LONGUE; TOUT LE MONDE VEUT ASSISTER AUX JEUX OLYMPIQUES!

15ᴬ

LA GALÈRE PART VERS SA DESTINATION: LA GRÈCE LOINTAINE ET PRESTIGIEUSE, DANS L'ATMOSPHÈRE SI AGRÉABLE DES CROISIÈRES, PENDANT LESQUELLES ON OUBLIE TOUS SES SOUCIS.

BOM!BOM!BOM!BOM! BOM!BOM!B

UN VOYAGE EN MER, RIEN DE TEL POUR SE REPOSER, N'EST-CE PAS ASTÉRIX?

OUI, CE SONT LES ESCALES QUI SONT FATIGANTES.

PARFOIS, UNE RENCONTRE, UN INCIDENT, TROUBLE PLAISAMMENT LE RYTHME TRANQUILLE DE LA TRAVERSÉE.

UNE GALÈRE PIRATE!

OÙ ÇA?

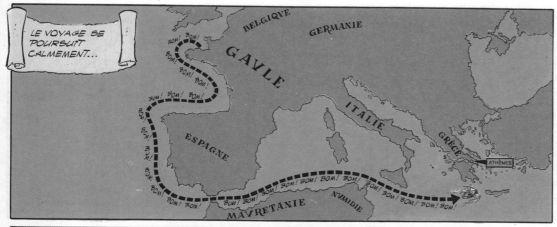

LE VOYAGE SE POURSUIT CALMEMENT...

...ET ENFIN, UN JOUR...

LES ENFANTS! NOUS Y SERONS DEMAIN! LE PIRÉE NOUS ATTEND!

C'EST CURIEUX. J'AURAIS CRU QUE QUELQU'UN ALLAIT FAIRE UNE REMARQUE...

PANORAMIX...

OUI?

C'EST QUI LE PIRÉE?

AH, BON!

LE PIRÉE, COMME TOUT LE MONDE LE SAIT DE NOS JOURS, EST LE PORT D'ATHÈNES. LA VEILLE DE L'ARRIVÉE, COMME IL EST DE COUTUME, C'EST LE GALA D'ADIEU À BORD DE LA GALÈRE.

À LUTÈCE ON L'AIME BIEN NINI PEAU D'SANGLIEEEER!

BONG!

BONG!

ET ENFIN...

BON! LES ENFANTS! NOUS REPRÉSENTONS LA GAULE! SOYONS-EN DIGNES! NE NOUS FAISONS PAS REMARQUER, ET NE NOUS MOQUONS PAS DES INDIGÈNES, MÊME S'ILS N'ONT PAS NOTRE PASSÉ GLORIEUX ET NOTRE CULTURE!

DÉBARQUONS! ET N'OUBLIEZ PAS LES SANGLIERS!

EH! ASTÉRIX!

OUI!

T'AS VU LEUR PROFIL?

CHUT, OBÉLIX! TU VAS LES VEXER!

JE SUIS MIXOMATOS, GUIDE. JE PEUX VOUS CONDUIRE À ATHÈNES EN CHAR ET VOUS FAIRE VISITER LA VILLE.

NOUS AVONS UN PEU DE TEMPS AVANT D'ALLER À OLYMPIE... CE SERAIT DOMMAGE DE NE PAS VISITER ATHÈNES...

ON Y VA LES ENFANTS?

OUAIS!

VOUS POUVEZ CHANGER VOS SESTERCES CONTRE DES OBOLES, DES DRACHMES ET DES MINES CHEZ CALVADOS. AYEZ CONFIANCE, C'EST UN COUSIN.

?

LE CONDUCTEUR DE CHAR, VOUS POUVEZ AVOIR CON-FIANCE AUSSI. C'EST SCARFAS, UN COUSIN.

UN INSTANT, IL MANQUE QUELQU'UN.

HÉ HÉHÉ!

AGECANONIX!

OUI, OUI! C'EST ÇA QUI EST TERRIBLE AVEC CES VOYAGES ORGANISÉS: ON N'EST JAMAIS LIBRE DE FAIRE CE QU'ON VEUT!

22

JE NE SUIS PAS VOTRE COMPATRIOTE! SI ON ME DEMANDAIT MON AVIS, JE VOUS RENDRAIS LA GAULE, ET CHACUN CHEZ SOI!

PAR TOUTATIS! MON ÂME DE ROMAIN S'INDIGNE QUAND JE VOUS ENTENDS PARLER COMME ÇA!

SANS RIRE! VOUS N'ALLEZ PAS PARTICIPER AUX JEUX?

AVEC LA POTION MAGIQUE QUI NOUS DONNERA LA VICTOIRE, AVOUEZ QUE CE SERAIT BÊTE DE NE PAS LE FAIRE!

MAIS CE N'EST PAS JUSTE! QU'EST-CE QU'ON VA DEVENIR, NOUS?

NOUS NE VOUS EMPÊCHONS PAS DE PARTICIPER... CELA DIT, NOUS, ON VA GAGNER...

...C'EST L'ESSENTIEL!

JE VOUS EMMÈNE DÉJEUNER DANS LE RESTAURANT DE MON COUSIN FÉCARABOS.

L'AMPHORE N'EST PAS CONSIGNÉE; QU'EST-CE QUE J'EN FAIS?

BOF! GARDE-LA, ÇA TE FERA UN SOUVENIR.

GROUIK!

ET NOS TOURISTES S'INITIENT AUX JOIES DES FEUILLES DE VIGNE FARCIES, DES BROCHETTES, DES OLIVES, DES PASTÈQUES ET DU VIN RÉSINÉ.

J'EN AVAIS UN, MAIS JE L'AI LAISSÉ À LA PORTE... IL PARAÎT QU'ON NE PEUT PAS APPORTER SON MANGER!

MAIS QU'EST-CE QU'ILS METTENT DANS LEUR VIN?

AH, LE VIN D'AQUITAINE!

TU TE SOUVIENS DE CETTE PETITE AUBERGE SUR LA NATIONALE VII? ON NOUS AVAIT SERVI DU VEAU DÉLICIEUX!

ÇA NE VAUT PAS LE SANGLIER!

GROUIK!

POUR NOTRE DERNIÈRE NUIT À ATHÈNES, MIXOMATOS M'A DONNÉ L'ADRESSE D'UNE AUBERGE TENUE PAR UN DE SES COUSINS...

ILS ONT L'AIR DE S'AMUSER LÀ-DEDANS!

ILS AIMENT DANSER... LES DANSES GRECQUES SONT TRÈS INTÉRESSANTES, PARAÎT-IL...

INVINOVERITAS

CLAP! CLAP! CLAP! CLAP!

YAHOUU! YAHAAA!

?

CLAP! CLAP! CLAP! CLAP! CLAP!

CLAC! CLAC! CLAC!

CLAP!

CLAP!

CLAP! CLAP!

VENEZ, LES PETITS! JE LEUR FAIS DES DÉMONSTRATIONS DE DANSES GAULOISES!

POC!

23A

À MESURE QUE LA NUIT AVANCE, ON S'INITIE AUX DANSES GRECQUES...

LALA... LALA... LALA... LALA... LALA... LALA... LALA...

POC! POC!

ET ENFIN...

ALLONS AGECANONIX! LE SOLEIL VA BIENTÔT SE LEVER!

UNE DERNIÈRE HIPS! CORNE!

J'AI RAJEUNI HIPS! DE DIX ANS!...

EH BIEN, ÇA TE FAIT QUATRE-VINGT-TROIS ANS ET TU DEVRAIS ÊTRE AU LIT!

VIVE LES GRECS!

C'EST QUOI, ÇA?

JE VAIS ALLER VOIR.

ÇA, CE SONT NOS ADVERSAIRES QUI S'ENTRAÎNENT!

23B

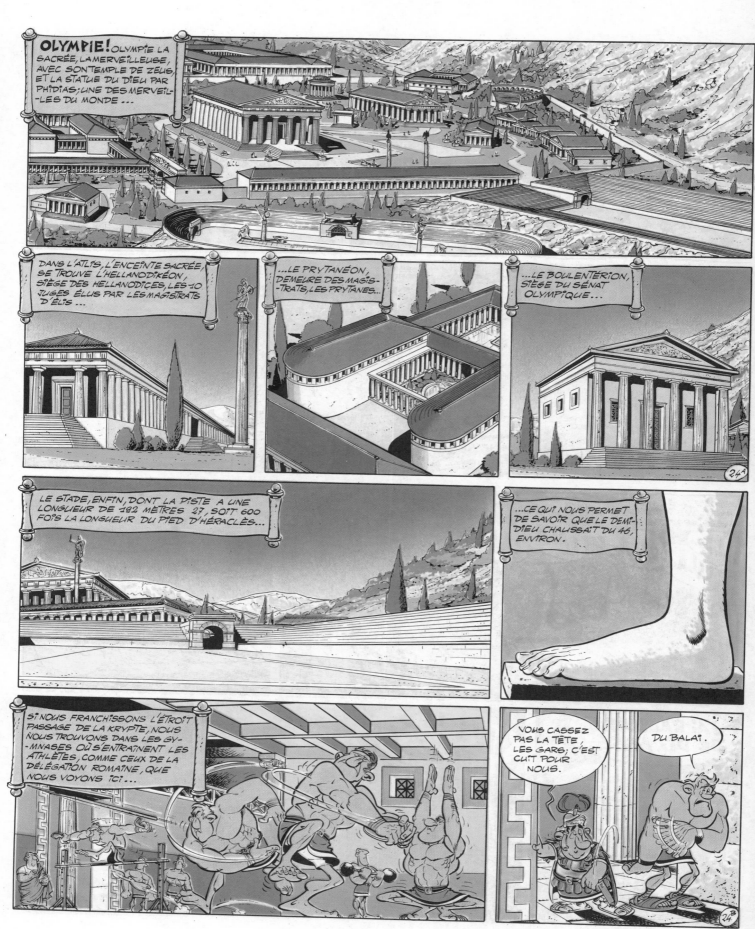

OLYMPIE! OLYMPIE LA SACRÉE, LA MERVEILLEUSE, AVEC SON TEMPLE DE ZEUS, ET LA STATUE DU DIEU PAR PHIDIAS; UNE DES MERVEILLES DU MONDE...

DANS L'ATLIS, L'ENCEINTE SACRÉE, SE TROUVE L'HELLANODIKÉON, SIÈGE DES HELLANODICES, LES 10 JUGES ÉLUS PAR LES MAGISTRATS D'ÉLIS...

...LE PRYTANÉON, DEMEURE DES MAGISTRATS, LES PRYTANES...

...LE BOULENTÉRION, SIÈGE DU SÉNAT OLYMPIQUE...

LE STADE, ENFIN, DONT LA PISTE A UNE LONGUEUR DE 192 MÈTRES 27, SOIT 600 FOIS LA LONGUEUR DU PIED D'HÉRACLÈS...

...CE QUI NOUS PERMET DE SAVOIR QUE LE DEMI-DIEU CHAUSSAIT DU 46, ENVIRON.

SI NOUS FRANCHISSONS L'ÉTROIT PASSAGE DE LA KRYPTE, NOUS NOUS TROUVONS DANS LES GYMNASES OÙ S'ENTRAÎNENT LES ATHLÈTES, COMME CEUX DE LA DÉLÉGATION ROMAINE, QUE NOUS VOYONS ICI...

VOUS CASSEZ PAS LA TÊTE, LES GARS; C'EST CUIT POUR NOUS.

DU BALAI.

28

PAR JUPITER, COMMENT OSES-TU PARLER AINSI CENTURION?

IL Y A ICI, LA FINE FLEUR DES LÉGIONS ROMAINES. DES ATHLÈTES SÉLECTIONNÉS DANS TOUTES LES GARNISONS DU MONDE ROMAIN. PERSONNE NE PEUT NOUS VAINCRE!

PERSONNE? DIS-Y, CORNEDURUS!

EH BEN, Y A UN PETIT MALINGRE ET UN GROS BAS DE POITRINE... DES GAULOIS...

DES GAULOIS GAVÉS DE PO- TION MAGIQUE! AB-SO-LU-MENT INVINCIBLES!

!?

CÉSAR NE VA PAS ÊTRE CONTENT, SI NOUS NE RAPPORTONS PAS UNE OU DEUX PALMES!

OH, NON, IL NE VA PAS ÊTRE CONTENT!

ET À CE MOMENT, AU BUREAU DES INSCRIPTIONS...

C'EST QUOI, ÇA, PAR HERMÈS?

NOUS SOMMES DES ROMAINS, NOUS VENONS NOUS INSCRIRE POUR PARTICIPER AUX JEUX.

DES ROMAINS?

ET... ET VOUS ÊTES TOUS DES ATHLÈTES?

OH NON! LES ATHLÈTES, CE SONT EUX... LE PETIT, LÀ, ET LE GRASSOUIL- LET RÉJOUI.

C'EST LA DÉCADENCE DE ROME!

OUAIS!

29

PENDANT QUE LES ATHLÈTES GRECS S'ENTRAINENT AVEC ÉNERGIE, SOUS L'OEIL VIGILANT DES ALIPTES, LEURS ENTRAINEURS...

...LES GAULOIS FONT LA SIESTE ENTRE DEUX REPAS...

...ET LES ROMAINS, AVEC L'ESPOIR, ONT ABANDONNÉ TOUT EFFORT.

AH, LE PETIT VIN BLANC, QU'ON BOIT SOUS LES COLONNES...

CE QUI NE MANQUE PAS D'ÉTONNER LES MAGIS-TRATS OLYMPIQUES.

PAR POSÉIDON! QUE VOILÀ D'ÉTRANGES FAÇONS DE S'ENTRAINER!

PAR HEPHAISTOS! NOS ATHLÈTES AURONT FACILEMENT LA VICTOIRE, SUR CES BARBARES... TROP FACILEMENT!

...DU CÔTÉ D'L'A...CROPOOOOLE!

?!

?!

REGARDE! ILS FONT DES FESTINS!

ALORS QUE NOS VERTUEUX CHAMPIONS SE NOURRISSENT DE FIGUES, D'OLIVES...

...DE VIANDE CRUE, ET D'EAU!

MAIS CETTE ÉTRANGE AMBIANCE....

SNIFF! SNIFF!

...FINIT PAR PROVOQUER DES INCIDENTS REGRETTABLES DANS LE VILLAGE OLYMPIQUE.

JE REFUSE DE MANGER ÇA

OBÉLIX POURRAIT PARTICIPER SEUL...

POURQUOI, SEUL?

AH NON! AH NON! ÇA NE SERAIT PAS HONNÊTE!

QU'EST-CE QUI NE SERAIT PAS HONNÊTE?

IL EST TOMBÉ DANS LA MARMITE DE POTION QUAND IL ÉTAIT PETIT...

!?!

ARRÊTEZ!

PARCE QUE JE SUIS TOMBÉ DANS UNE MARMITE QUAND J'ÉTAIS PETIT, JE N'AI PAS LE DROIT DE PARTICIPER AUX JEUX?

EXACTEMENT!

BON! C'EST TOUT CE QUE JE VOULAIS SAVOIR!

C'EST VRAI, ON NE M'EXPLIQUE JAMAIS RIEN, À MOI.

?!

ALORS VOICI CE QUE NOUS ALLONS FAIRE: ASTÉRIX RESTE INSCRIT POUR PARTICIPER AUX JEUX. PANORAMIX ET OBÉLIX LUI SERVIRONT D'ENTRAÎNEURS... ET À LA GRÂCE DES DIEUX!

RIEN À CRAINDRE, LES ENFANTS! AVEC NOS ENCOURAGEMENTS, LE PETIT NE PEUT PAS PERDRE!

MAIS FAITES-LE DONC TAIRE, QUELQU'UN!

UNE PALME NOUS SUFFIRAIT...TU PARTICIPERAS SEULEMENT AUX ÉPREUVES DE COURSE À PIED.

RETOURNONS VITE DANS L'ENCEINTE SACRÉE, J'AI HÂTE DE M'ENTRAÎNER.

C'EST DRÔLE, TOUT DE MÊME, CETTE LOI ANTI-MARMITE.

JE VAIS FAIRE UN TOUR DE PISTE. SABLE-MOI.

HMMM... C'EST BIEN, MAIS EST-CE QUE CE SERA SUFFISANT POUR VAIN-CRE DES ATHLÈTES SURENTRAINÉS ?

ET EN METTANT DU SABLE PLUS FIN ?

ALLONS NOUS COUCHER. LES JEUX COMMENCENT DEMAIN... J'AI CONFIANCE !

ET SI ON LEUR DISAIT QUE JE SUIS TOMBÉ DANS UNE AMPHORE, AU LIEU D'UNE MARMITE ?

CETTE NUIT-LÀ, DANS L'ENCEINTE SACRÉE, TOUS LES ATHLÈTES RÈVENT DE GLOIRE ET DE SUCCÈS...

ET C'EST LE GRAND JOUR ! LES SPECTATEURS ARRIVENT DE TOUT LE MONDE CONNU...DES SPECTATEURS ET NON DES SPECTATRICES, CAR IL EST INTERDIT AUX FEMMES, D'ASSISTER AUX JEUX OLYMPIQUES.

UN JOUR, VOUS VERREZ ! LES FEMMES PARTICIPERONT AUX JEUX ! ET PAS COMME SPECTATRICES !

C'EST ÇA ! ET ELLES CONDUIRONT DES CHARS !

AH! VOICI NOS PLACES!

BON! ALORS C'EST D'ACCORD: CALME, DISTINCTION, RESPECT DE L'ADVERSAIRE. SOYONS DES SPECTATEURS SPORTIFS, ET NE NOUS FAISONS PAS REMARQUER.

BEN VOYONS!

ALLEZ GAVLE

APRÈS AVOIR PRÊTÉ LE SERMENT OLYMPIQUE SUR L'AUTEL DE ZEUS HERKIOS...

NOUS SOMMES DES HOMMES LIBRES, DE PURE RACE HELLÉNIQUE, N'AYANT JAMAIS COMMIS DE CRIMES NI DE SACRILÈGES. NOUS JURONS DE NOUS CONFORMER LOYALEMENT AUX RÈGLES DU CONCOURS...

...LES ATHLÈTES ENTRENT DANS LE STADE. CELA COMMENCE PAR LE DÉFILÉ DES THERMOPYLES. ILS SONT SUIVIS PAR CEUX DE SAMOTHRACE, SÛRS DE LA VICTOIRE; CEUX DE MILO SONT VENUS AUSSI...

THERMOPYLES

...CEUX DE CYTHÈRE VIENNENT DE DÉBARQUER; CEUX DE MARATHON ARRIVENT EN COURANT; CEUX DE MACÉDOINE SONT TRÈS MÉLANGÉS; LES SPARTIATES SONT PIEDS NUS...

SPARTE

...RHODES N'A ENVOYÉ QU'UN SEUL REPRÉSENTANT, UN COLOSSE...

RHODES

YOUHOU! FRÈROT! YOUHOU!

DU CALME! RESTONS SPORTIFS!

...ET SI LA DÉLÉGATION ROMAINE DÉFILE DANS L'INDIFFÉRENCE GÉNÉRALE, CE N'EST PAS LE CAS POUR UN DE SES REPRÉSENTANTS.

GAULE! GAULE! GAULE! AS-TÉ-RIX! AS-TÉ-RIX! OOUUUAAAiiiis!

GAULE

LES ATHLÈTES, GRECS ET ROMAINS, S'ALIGNENT POUR LA PREMIÈRE COURSE DE 20 STADES DU DOUBLE STADE...

POUR DONNER LE DÉPART, UN OFFICIEL INVOQUE LE NOM DU FILS DU DIEU HERMÈS...

PAN!

GAULE! GAULE! GAULE!

AS-TÉ-RIX! AS-TÉ-RIX!

GAU...LE!...

SPARTE.

!

CE N'EST PAS MAL ASTERIX!

ILS SONT FORTS, CES SPARTIATES; ET LES ROMAINS SONT BIEN ENTRAÎNÉS AUSSI.

PFFFF!

SI TU NE PRÉFÉRAIS PAS TA POTION DANS UNE MARMITE, J'AURAIS PU PARTICIPER À CETTE COURSE...AH! SI TU T'ÉTAIS SERVI D'UN POT!

CE N'EST PAS UNE QUESTION DE MANQUE DE POT, OBÉLIX *

* VOILÀ L'ORIGINE D'UNE TRIVIALE EXPRESSION VENUE DE L'OLYMPE JUSQU'À NOUS.

PENDANT QUE LES VAINQUEURS MONTENT SUR LE PODIUM POUR RECEVOIR LES PALMES...

NE BOUGEONS PLUS!

...LES SUPPORTERS COMMENTENT L'ÉPREUVE.

LA PISTE EST LOURDE...

ET PUIS LE CLIMAT... TRÈS DUR, LE CLIMAT!

L'ALTITUDE AUSSI...

LA NOURRITURE DES SANGLIERS! LES PAUVRES BÊTES NE SONT PAS HABITUÉES...

ET L'ATTITUDE DU PUBLIC.... DE MON TEMPS, ON SAVAIT ÊTRE ÉLÉGANT!

LES ÉPREUVES SE SUCCÈDENT: LUTTE, PANCRACE, PUGILAT AU CESTE...

CRAC!

À CES JEUX, OKÉIBOS, LE COLOSSE DE RHODES EST IMBATTABLE.

AHA!
AHA!
AHA!

VAS-Y FRÉROT!

AHA!
AHA!
AHA!

CLAP! CLAP!

VOUS ÊTES TOUS COMME ÇA DANS LA FAMILLE?

OH NON! NOTRE FRÈRE AÎNÉ EST BEAUCOUP PLUS FORT.

MAIS IL N'A PAS PU VENIR, PARCE QU'IL SE REMET MAL DE LA FESSÉE QUE LUI A DONNÉE MAMAN, AHA, AHA, AHA!

LE SPORT C'EST LA SANTÉ QU'ILS DISAIENT!...

MENS SANA IN CORPORE SANO, QU'ILS DISAIENT!...

40

LA JOURNÉE ÉTANT TERMINÉE, LES ATHLÈTES SONT RETOURNÉS DANS L'ENCEINTE SACRÉE, OÙ ILS FONT LE BILAN...

ÉTANT DONNÉ LES BRILLANTS RÉSULTATS OBTENUS, VOUS CROYEZ QUE JULES CÉSAR VA ÊTRE CONTENT?

DANS LE BOULENTÉRION, SÉNAT OLYMPIQUE, LES MAGISTRATS, HÉLLANODICES, PRÊTRES ET OFFICIELS, SONT RÉUNIS SOUS LA PRÉSIDENCE DE CROQUEMITHÈNE, SUPERBE ORATEUR...

NOBLES ET VÉNÉRABLES AMIS! NOS ATHLÈTES VONT REMPORTER TOUTES LES PALMES, CE QUI EST NORMAL!

OUI! PAR ATHÉNA! PAR APOLLON!

VIVE NOUS!

MAIS SI NOUS NE DONNONS PAS À CES ROMAINS BARBARES L'OCCASION DE REMPORTER UNE PALME, NOS JEUX N'INTÉRESSERONT PLUS NOS VISITEURS ÉTRANGERS...

ET COMME LE DIT MON COUSIN MIXOMATOS: PLUS DE VISITEURS, PLUS D'ARGENT, PLUS D'AFFAIRES! NOS BEAUX MONUMENTS TOMBERONT EN RUINE SANS INTÉRESSER PERSONNE!

MAIS NOUS NE POUVONS PAS DEMANDER À NOS ATHLÈTES DE TRICHER POUR PERMETTRE À CES DÉCADENTS DE GAGNER!

JE CROIS QUE J'AI EURÉKA LA SOLUTION!

TOUS LES ROMAINS SONT CONVOQUÉS DANS LE GYMNASE!

C'EST POUR NOUS!

JE NE M'Y HABITUERAI JAMAIS!

32

ROMAINS! LE SÉNAT OLYMPIQUE A DÉCIDÉ DE PRÉVOIR UNE ÉPREUVE SUPPLÉMENTAIRE POUR DEMAIN! UNE COURSE DE XXIV STADES RÉSERVÉE UNIQUEMENT AUX ROMAINS!

JE VOUS SOUHAITE BONNE CHANCE ET QUE LE MOINS MINABLE GAGNE!

QUEL DOMMAGE QUE TU NE PUISSES PAS PRENDRE UN PEU DE POTION MAGIQUE, AVANT LA COURSE!

LA POTION MAGIQUE? CELLE QUI EST DANS LA MARMITE QUI SE TROUVE DANS LA CABANE DU FOND, LÀ-BAS?...

BEN OUI... LA POTION MAGIQUE, QUOI!

LA MARMITE QUI EST DANS LA CABA-NE DU FOND, CELLE DONT LA PORTE NE FERME PAS BIEN?

OUI, LA MARMITE QUI EST DANS LA CABANE DU FOND, DONT LA PORTE NE FERME PAS BIEN ET QUI N'EST PAS GARDÉE LA NUIT... C'EST BIEN DE ÇA QUE TU PARLES, OBÉLIX?

MAIS... OUI!

OH, MAIS ON N'A PAS LE DROIT DE BOIRE DE LA PO-TION MAGIQUE QUI EST DANS LA CABANE DU FOND...

... DONT LA PORTE NE FERME PAS BIEN ET QUI N'EST PAS GARDÉE LA NUIT.

?!

HOHOHO! HIHIHI!

QU'EST-CE QUI SE PASSE?

OBÉLIX! TU ES LE PLUS RUSÉ DE NOUS TOUS!

?!

TU SAIS QUOI, IDÉFIX? DEPUIS QU'ASTÉRIX ET PANORAMIX SONT DEVENUS ROMAINS, ILS SONT FOUS, EUX AUSSI!

TOC! TOC! TOC!

OUAH!

CORNEDURUS, VIENS PAR ICI ...

L'ESSENTIEL POUR NOTRE AVANCEMENT, C'EST QUE JULES CÉSAR SOIT CONTENT. ET POUR QUE JULES CÉSAR SOIT CONTENT, IL FAUT QUE TU REMPORTES LA COURSE ET LA PALME...

...OR, JE CROIS SAVOIR QU'IL Y A DANS LE FOND, LÀ-BAS, UNE CABANE, DONT LA PORTE FERME MAL, QUI N'EST PAS SURVEILLÉE LA NUIT ET QUI CONTIENT...

UNE MARMITE DE POTION MAGIQUE!

SHHHT!

PAF!

BON...EUH... AVÉ, 'LES GARS.'

MORDICUS, MON AMI!

QUO VADIS, MORDICUS? IL VA FAIRE NUIT ET NOUS DEVONS NOUS COU- CHER DE BONNE HEURE, EN PRÉVISION DE LA COURSE, DEMAIN...

OH, NOUS ALLIONS FAIRE UN PETIT TOUR...

JULES CÉSAR NE SERAIT PAS CONTENT D'APPRENDRE QUE NOUS, LES ROMAINS, NOUS NE SOMMES PAS SOLIDAIRES LES UNS DES AUTRES ...

N'EST-CE PAS?

ET CETTE NUIT-LÀ...

RONONN BZZZZ BLBLBL ?

GRRRAAQORR

43

HÉ! IDÉFIX VIENT DE ME RÉVEILLER PARCE QU'IL Y A DES TAS DE RÔDEURS, LÀ-BAS, DU CÔTÉ DE LA CABANE QUI A UNE PORTE QUI FERME MAL, QUI N'EST PAS GARDÉE LA NUIT ET OÙ SE TROUVE LA MARMITE DE POTION MAGIQUE...

IL EST TERRIBLE COMME CHIEN DE GARDE, MON IDÉFIX, HEIN?

EH BIEN DIS À TON CHIEN DE GARDE DE SE RENDORMIR ET NE T'OCCUPE DE RIEN!

MAIS ILS VEULENT PEUT-ÊTRE VOLER LA MARMITE!

CHEZ LES HELLÈNES, LE VOL DES MARMITES EST TOLÉRÉ.

?!

TU Y COMPRENDS QUELQUE CHOSE AUX LOIS SUR LES MARMITES DE CE PAYS, TOI?

ILS SONT FOUS, CES HELLÈNES!

COCORICOS!

ET C'EST LE JOUR DE LA COURSE DE 24 STADES, C'EST-À-DIRE DE 4.614 MÈTRES ET 48 CENTIMÈTRES, OU COMME ON DIRAIT PLUS SIMPLEMENT À NOTRE ÉPOQUE : 14.400 CHAUSSURES POINTURE 46, MISES BOUT À BOUT.

LES CONCURRENTS SUR LA LIGNE DE DÉPART!

44

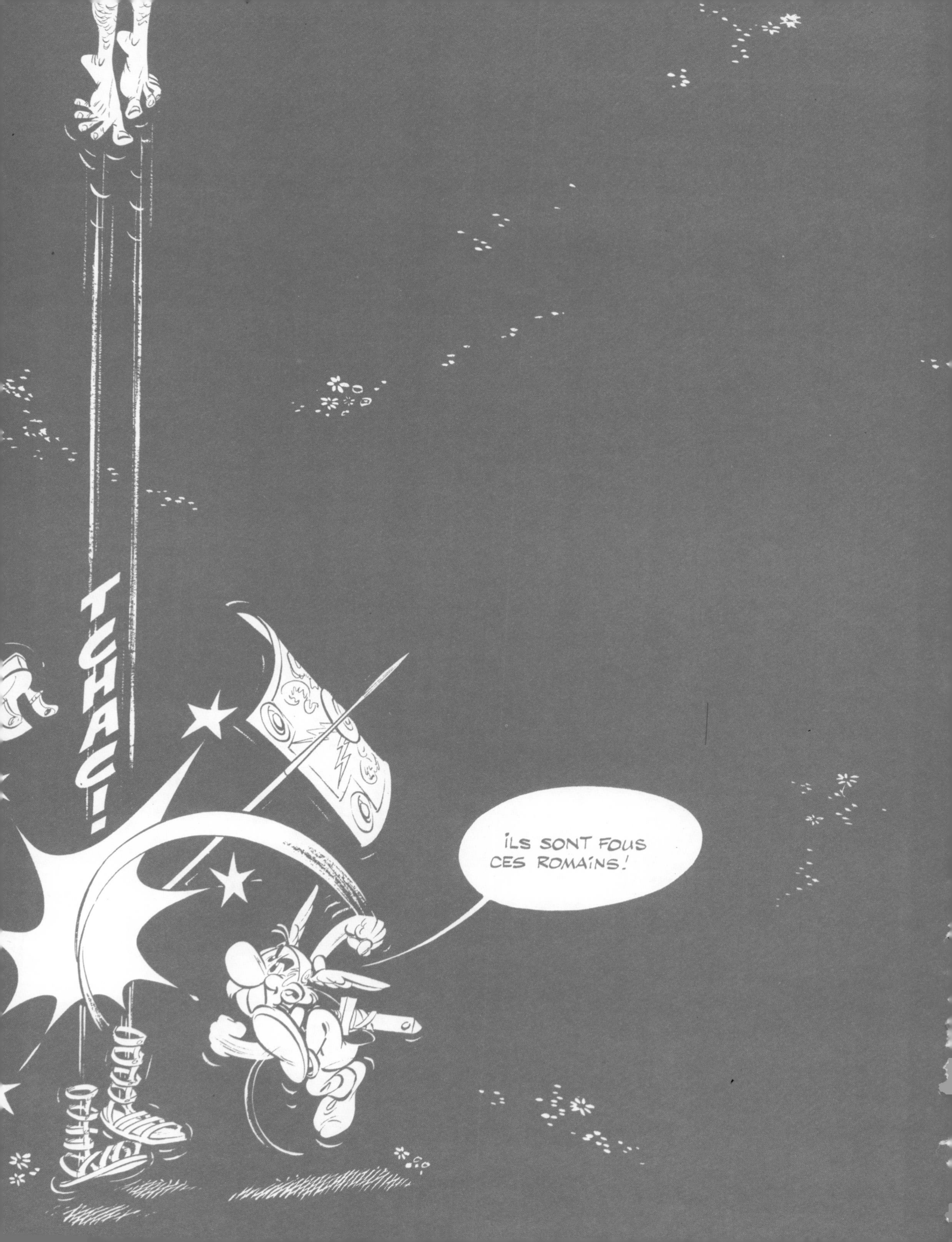
TCHAC!!
ILS SONT FOUS CES ROMAINS!